献给奥莉薇
送给娜娜、柯蒂斯和贝蒂，谢谢你们！

图书在版编目（CIP）数据

去上学 /（美）卡梅拉·达米科文；（美）史蒂文·
达米科图；柳漾译. -- 天津：天津人民出版社，
2018.3（2019.1重印）
（小象艾拉）
书名原文：Ella The Elegant Elephant
ISBN 978-7-201-12544-2

Ⅰ.①去… Ⅱ.①卡… ②史… ③柳… Ⅲ.①儿童文
学-图画故事-美国-现代 Ⅳ.①I712.85

中国版本图书馆CIP数据核字(2017)第277944号

著作权合同登记号：图字：02-2017-226号

- -

去上学
QU SHANGXUE

作者：〔美〕卡梅拉·达米科 〔美〕史蒂文·达米科 译者：柳 漾

出版发行：天津人民出版社 出版人：黄 沛
（天津市和平区西康路35号康岳大厦 邮编：300051）
http://www.tjrmcbs.com

策划监制：王大齐
责任编辑：周春玲
特约编辑：高 洁
装帧设计：贯 越

北京瑞禾彩色印刷有限公司
字数：10千字 889毫米×1194毫米 1/16 印张：3.5
2018年3月第1版 2019年1月第3次印刷
ISBN：978-7-201-12544-2
定价：45.00元

如有印装质量问题，请与北斗童书馆联系调换，读者热线：010-63585591-818

ella

小象艾拉

去 上 学

〔美〕卡梅拉·达米科 文　〔美〕史蒂文·达米科 图　柳　漾 译

天津出版传媒集团

天津人民出版社

　　在广阔无边的印度洋上，坐落着很多象岛。这里浓雾笼罩，所以从来没有被人发现。

在其中一座岛上，住着一头害羞的小象，名叫艾拉。
她非常喜欢妈妈新开的面包店，还有楼上舒适的房间。
不过，因为和妈妈刚刚搬到这儿，艾拉有些担心。

再过两天，艾拉就要去新学校了。

一想到要去认识新朋友，她就变得紧张起来。

妈妈建议艾拉做点儿别的事情，可她不知道该做什么好。

"这样的话，还有些东西要拆包整理，我们一边等饼干凉下来，一边去整理东西，好不好？"

艾拉并不觉得这个主意很有趣，可是也想不出更好的点子。

"嗯，好吧！"于是，她跟着妈妈走下嘎吱嘎吱响的楼梯。

艾拉一下子就注意到了一个满是灰尘的木质帽盒。盒盖上还贴着一张卡片，上面写着：

送给艾拉！

——外婆

艾拉马上打开盒子："哇！妈妈，快看！"

"太棒了！"妈妈说，"这顶帽子我记得很清楚。外婆常常叫它'幸运帽'。它对外婆来说可是很特别的哟。我想，这也是外婆送给你的原因吧。"

　　艾拉拿起帽子，贴在胸前比了比，又戴到头上。

　　"我喜欢这顶帽子！"她说，"真的非常喜欢！"

上学第一天，艾拉看上去和其他小象没什么两样。
除了一点——

艾拉戴着她的帽子。

老师告诉艾拉，如果她不介意，就坐到最后一排，这样不会挡着其他同学看黑板。

等大家都坐好后，布里格小姐说："今天，班上来了一位新同学。艾拉，到前面来，向大家介绍一下你自己，好吗？"

　　艾拉一点儿都不期待这个自我介绍，她感觉脸唰地红了。艾拉做了个深呼吸，从过道走向讲台。突然，她被绊了一脚，重重地摔倒在地。

"贝琳达！"布里格小姐斥责道，"我都看见了！真替你感到惭愧！"

　　贝琳达微微缩了一下身体，嘟囔道："我不是故意的。"

课间休息时，艾拉独自坐在那儿。
她多么希望有人过来叫她一起玩儿啊，
可是，谁也没有过来。

　　过了一会儿，贝琳达——全校个头最大的小象——向艾拉走了过来。她说："你的帽子看起来真蠢！和我们的校服也很不搭！"

　　"是啊！"贝琳达的伙伴迪克一边用手扶了扶眼镜，一边跟着起哄，"也许她自己觉得这样很优雅！"

　　贝琳达立即大声叫了起来："我知道啦，那我们都叫她'优雅的艾拉'吧！"

　　"哈！"迪克也笑了起来，"优雅的小象艾拉！"

艾拉从学校回到家，妈妈问她今天过得怎么样。

"糟糕透了！大家都取笑我的帽子。"

"哦，那是因为他们不知道这顶帽子对你来说有多么的特别。也许你应该试着告诉大家。"

"我才不要呢。"艾拉说。很明显，大家深深地伤害了她。

"亲爱的艾拉，"妈妈叹了一口气，"事情都会好起来的，我保证！"

第二天吃午餐的时候，艾拉独自坐在长凳上吃三明治。

突然，有东西击中了她的后脑勺。原来是一只大红球！

"嘿，优——雅的艾拉，"贝琳达大声说，"想玩儿球吗？"

艾拉才不想和贝琳达一起玩儿球呢，可是她担心不玩儿的话，她们会更加嘲笑她。

于是，艾拉说："好啊。"她把球抛给了贝琳达。

但是，贝琳达没有把球传给艾拉，而是扔到了校园的围墙上，她还说："爬上去把球拿下来，怎么样？"

"可是这样做会违反校规。"艾拉说。

"没人会看见的！"贝琳达有些不耐烦。

"可是，"艾拉低声地说，"我觉得可能会有危险……"

贝琳达的眼珠转来转去："不会啦，没有危险的。只是爬上去，然后把球扔下来。还有比这更简单的吗？"

"嗯，如果这么简单，"艾拉说，"那你为什么不去呢？"

　　迪克和其他小象都转向贝琳达，看着她。

　　"好，我去！"贝琳达瞪了一眼艾拉，"不过，遗憾的是，你测试不及格！"

　　然后，她对着伙伴们吼了起来："哎呀，还站着干吗？快托我上去！"

很多小象都围了过来，大家都
想看看发生了什么事。

　　贝琳达不禁得意起来。她一只脚蹦来蹦去，双手还不停地传球。

　　"瞧瞧，多么容易！"贝琳达炫耀道。

　　但是，就在她蹦蹦跳跳的时候，身体一下子失去了平衡……

贝琳达滑倒了！

谁也不知道该怎么办！
有些小象跑去找老师，有些则用双手遮住眼睛。
不过，大部分小象只是站在那儿，愣愣地盯着贝琳达。

贝琳达哭了起来。

艾拉为她感到遗憾，也许贝琳达并不像看上去那么坚强。

还没来得及想清楚自己在做什么，艾拉就大声地说："我来帮你！"

她并不知道怎么帮忙，不过，她觉得应该试一试。

几头小象把艾拉托上围墙时，艾拉对贝琳达说："放心吧，抓住我的手。"

等贝琳达抓紧，艾拉就用全身的力气往里拉。但是，艾拉太轻了，而贝琳达太重了……

重重的贝琳达把艾拉也拉出了围墙！

她们往下落……

一直往下落……

突然——

神奇的事情发生了!

无论是校园里正望着她们的小象，还是在沙滩上享受日光浴的大象，就连艾拉和贝琳达自己，都不敢相信——
　　她们安全着陆了！

艾拉回到家后，告诉妈妈白天发生的惊险又刺激的事情。

妈妈一下子把艾拉抱了起来，说："外婆的帽子真的能带来好运呢。艾拉今天很勇敢，但是，你也要向我保证，再也不爬学校的围墙了。今天的事情很神奇，可是下次就不一定这么幸运啦。"

"不用担心，妈妈！"艾拉说，"我保证，再也不会。"

第二天早上，艾拉起得比平时晚了一点儿。尽管她一路跑着去学校，可还是迟到了。
　　当艾拉推开教室的门时，她简直不敢相信自己的眼睛——

就连贝琳达也戴着一顶大大的紫色帽子在微笑！

布里格小姐说："我们没法都坐在最后一排了，大家都摘掉帽子，好不好？当然，只是上课期间。"

就这样，大家都坐了下来。

当艾拉抬头看黑板时，不禁偷偷地笑了起来……

事情真的变得好起来了。不是吗?

　　卡梅拉·达米科和史蒂文·达米科是童书界的一对夫妻档，《小象艾拉》是他们的处女作，一经出版便受到美国主流媒体的广泛好评。

　　卡梅拉·达米科5岁时就创作了第一部童书。成为自由作家后，她的作品经常出现在美国华盛顿州西雅图的报刊上，深受大小读者喜爱。

　　史蒂文·达米科是美国著名插画家，4岁时就开始涂鸦，尤其热衷恐龙和超级英雄。20世纪80年代，他毕业于美国著名的考尼什艺术学院，在梅西百货和淘儿唱片公司担任橱窗设计师，并为华纳兄弟公司和珍珠果酱乐团提供设计支持。多年的设计工作为他创作绘本奠定了坚实的基础。

　　现在，他们与女儿奥莉薇定居在西雅图。